THE BOOK | 책

KB178108

THE BOOK | 책

발 행 | 2024년 05월 29일
저 자 | 황준범
펴낸이 | 한건희
펴낸곳 | 주식회사 부크크
출판사등록 | 2014.07.15.(제2014-16호)
주 소 | 서울특별시 금천구 가산디지털1로 119 SK트윈타워 A동 305호
전 화 | 1670-8316
이메일 | info@bookk.co.kr
저자 이메일 | joonbeom302@naver.com

ISBN | 979-11-410-8716-6

www.bookk.co.kr

THE BOOK | 책

황준범 지음

목차

머리말 따윈 없다.

작캬의 말이 있겠냐고ㅋㅋ;;

별 의 노 래

한밤중, 어둠 속에서 작은 별들이 빛나고 있었다. 그들은 고요한 밤하늘을 가득 채우며, 먼 곳에서도 그 아름다운 빛을 볼 수 있었다. 그러나 이 별들은 더 많은 이야기를 간직하고 있었다.

그중, 한 별은 특별했다. 그 이름은 스텔라였다. 스텔라는 작은 별이지만, 무엇보다도 노래를 좋아했다. 그녀는 밤마다 노래를 부르며 하늘을 빛내고 있었다. 그 노래는 사람들의 마음을 따뜻하게 만들었다.

어느 날, 스텔라는 다른 별들과 함께 하늘에서 만남을 가졌다. 그들은 서로의 이야기를 나누며 더 가까워졌다. 스텔라는 다른 별들의 노래를 듣고 감동했다. 그들은 각자의 고민과 희망을 노래로 표현했다.

그리고 어느 날, 스텔라는 더 큰 비밀을 발견했다. 그녀의 노래가 사람들의 마음을 치유하는 힘이 있었다는 것이다. 스텔라는 더 많은 사람들에게 노래를 전하고 싶었다. 그래서 그녀는 하늘을 떠나 인간들의 세계로 내려왔다.

스텔라는 밤하늘에서 노래를 부르며 사람들을 위로했다. 그녀의 노래는 슬픔을 기쁨으로, 고독을 위로로 바꿔주었다. 사람들은 스텔라의 노래를 듣고 희망을 찾았다. 그리고 스텔라는 더 많은 사람들에게 빛과 노래를 전했다.

이후로 스텔라는 하늘과 땅을 오가며 노래를 부르며 사람들을 행복하게 했다. 그녀의 노래는 시간을 초월하여 영원히 남았다. 그리고 스텔라는 작은 별이지만, 그녀의 노래는 무한한 사랑과 희망을 담고 있었다.

THE BOOK | 책

희망의 빛

서울의 번화가를 벗어나 조용한 경기도의 한 마을에, 지친 영혼들이 쉼을 찾아오는 작은 카페가 있었습니다. '희망의 빛'이라 불리는 이곳은, 주인장인 지훈이 운영하는 곳으로, 그의 따뜻한 미소와 맛있는 커피는 사람들의 마음을 어루만지곤 했습니다.

지훈은 어느 날, 카페 문을 열고 들어온 한 여성에게 시선을 빼앗겼습니다. 그녀는 마치 빛을 잃어버린 별처럼 슬픔이 가득한 눈빛을 하고 있었습니다. 그녀의 이름은 하늘이었고, 지훈은 그녀에게 조심스레 말을 건넸습니다.

"어서 오세요, 무엇을 도와드릴까요?"

하늘은 잠시 망설이다가, "따뜻한 라떼 한 잔과 조용한 자리가 필요해요," 라고 대답했습니다.

지훈은 그녀에게 가장 아늑한 자리를 안내했고, 부드러운 음악이 흐르는 가운데, 하늘은 천천히 마음을 열기 시작했습니다. 그녀는 최근에 겪은 어려움과 상실감에 대해 이야기했고, 지훈은 그저 조용히 경청했습니다.

시간이 흘러, 하늘은 '희망의 빛' 카페를 자주 찾게 되었고, 지훈과의 대화는 그녀에게 위안을 주었습니다. 지훈은 하늘에게 작은 희망의 메시지를 담은 쪽지를 건네주곤 했고, 그녀는 그 쪽지를 보며 미소를 되찾았습니다.

그러던 어느 날, 하늘은 지훈에게 한 가지 부탁을 했습니다. "여기 이 카페처럼, 마음이 따뜻해지는 노래를 듣고 싶어요. 혹시 추천해줄 수 있나요?"

지훈은 잠시 생각에 잠겼다가, 카페의 작은 무대로 그녀를 이끌었습니다. "제가 직접 노래를 불러드릴게요. 이 노래는 제가 힘들 때마다 듣던 노래예요. 제게 큰 위안이 되었죠."

그리고 지훈은 기타를 들고 조심스럽게 연주를 시작했습니다. 그의 목소리는 부드럽고 따뜻했으며, 가사는 마음을 울리는 희망의 메시지를 전달했습니다. 하늘은 눈을 감고 그의 노래에 귀를 기울였습니다. 노래가 끝나자, 그녀의 눈가에는 눈물이 맺혔고, 지훈은 그녀에게 손수건을 건네며 위로의 미소를 지었습니다.

"고마워요, 지훈 씨. 오늘따라 이 노래가 정말 필요했어요."

그날 이후, 하늘은 더 이상 슬픔의 그림자를 끌고 다니지 않았습니다. 그녀는 자신의 삶에 다시금 희망의 빛을 찾았고, 지훈의 카페는 그녀에게 두 번째 집과도 같은 곳이 되었습니다.

시간이 흘러, '희망의 빛' 카페는 마을 사람들에게 사랑받는 명소가 되었고, 지훈과 하늘은 서로의 삶에 없어서는 안 될 소중한 존재가 되었습니다. 그들은 함께 카페를 운영하며, 많은 이들에게 희망과 위안을 전달했습니다.

그리고 그들은 알게 되었습니다. 희망은 언제나 우리 안에 있으며, 때로는 한 잔의 커피, 따뜻한 노래, 그리고 이해하는 마음이면 충분하다는 것을.

그 뒤로도, 하늘과 지훈은 '희망의 빛' 카페에서 함께 시간을 보내며 서로에게 큰 위안을 주었습니다. 그들은 카페를 운영하면서 많은 이들이 찾아와 힘들었던 순간들을 공유하고, 작은 행복을 나누곤 했습니다.

어느 날, 하늘은 지훈에게 또 다른 부탁을 했습니다. "지훈 씨, 제가 쓴 노래를 들어주실래요? 이 노래는 제 마음을 표현한 것이에요."

지훈은 기뻐하며 동의했습니다. 그리고 그녀의 노래를 듣기 시작했습니다. 하늘은 작은 기타를 들고 노래를 부르기 시작했습니다. 그녀의 목소리는 천천히 흘러나와, 카페 안에 희망의 빛을 불러왔습니다.

노래가 끝난 후, 지훈은 미소를 지으며 말했습니다. "하늘, 그 노래 정말 아름답네요. 당신은 노래하는 천사 같아요."

하늘은 부끄러워하며 고개를 숙였습니다. "지훈 씨, 감사합니다. 이 노래는 제 마음을 표현한 것이에요. 그리고 당신과 함께 불러서 더 특별한 느낌이 들어요."

그 이후로, 하늘과 지훈은 노래와 이야기를 통해 서로를 이해하고 위로하며, '희망의 빛' 카페는 더 많은 이들에게 행복과 희망을 전달했습니다. 그리고 그들은 언제나 서로의 곁에서 빛나는 존재가 되었습니다.

에덴시아의 모험가들: 고대의 비밀

신비한 여행의 시작

에덴시아 대륙의 끝자락, 비경으로 유명한 마을인 아발론은 눈부시게 화려한 일몰을 맞이하고 있었습니다. 그날, 마을 근처의 우물가에서 에드릭은 당황한 듯한 표정으로 땅을 쳐다보고 있었습니다.

"저기... 이게 뭐지?" 에드릭이 중얼거렸습니다. 그의 발아래에는 반짝이는 보석 조각들이 흩어져 있었습니다. 아무도 이 보석을 마주한 적이 없는 것으로 알려진 마을 사람들은 당황스러운 눈치로 에드릭을 바라보았습니다.

"그것은... 마법의 흔적일 수도 있어." 리나가 말했습니다. 그녀는 호기심 가득한 눈으로 보석을 살펴보고 있었습니다. "우리가 여기서 떠나기로 한 그날에 마법이 우리를 이끄는 것일지도 몰라."

에드릭과 리나는 비록 이해할 수 없는 현상에 놀랐지만, 이 기회를 놓치기엔 너무나도 큰 일이라 생각했습니다. 그들은 마을을 떠나 에덴시아 대륙을 탐험하기로 결심했습니다.

새로운 동료와 만남

그들의 여행은 더욱 흥미진진해졌습니다. 길가에서 키라를 만난 것이 그 중 하나였습니다. 그녀는 어둠 속에서 빛나는 눈으로 에드릭과 리나를 쳐다보며 말했습니다.

"내 이름은 키라야. 너희와 함께 여행을 하겠다." 그녀의 목소리에는 미스테리한 느낌이 감돌았지만, 그녀의 의도는 분명하지 않았습니다.

에드릭과 리나는 키라와 함께 여행하는 것이 어떤 위험과 보상을 가져올지 알 수 없었지만, 그녀를 거절할 이유는 없었습니다. 세 명은 함께 모험을 떠나기로 했습니다.

신비로운 황야로

그들은 에덴시아 대륙의 황야를 향해 걸어갔습니다. 길가에서는 이상한 생물들과 미지의 괴물들이 눈에 띄었습니다. 하지만 그들은 마법의 보호 아래 안전하게 지나갔습니다.

그들의 목적지는 끝없이 펼쳐진 황야의 심연에 있는 고대의 성곽이었습니다. 성곽은 마법의 힘으로 보호되어 있었고, 거기에는 고대 마법의 비밀이 잠들어 있을 것으로 추정되었습니다.

에드릭, 리나, 그리고 키라. 세 명의 용감한 모험가는 자신들의 운명을 따라 가기 위해 끝없는 여행을 계속할 것입니다.

고대의 비밀

성곽으로 향한 여정은 더욱 힘든 것으로 예상했던 세 명의 모험가는 마법의 장벽에 부딪혔습니다. 하지만 키라의 은신술과 리나의 마법력, 에드릭의 검술이 결합되어 장벽을 뚫고 성곽 안으로 들어갈 수 있었습니다.

그곳에서 그들은 고대 마법의 힘에 둘러싸인 방과 통로를 발견했습니다. 그들은 용감하게 앞으로 나아가며, 각 방마다 숨겨진 함정을 피해나가야 했습니다.

마침내 그들은 성곽의 중심에 있는 고대의 문을 발견했습니다. 문 뒤에는 세계를 뒤흔들 만한 비밀이 잠들어 있을 것이라고 느꼈습니다.

전설의 용

고대의 문을 열고 들어간 그들은 거대한 공간 속에서 무언가의 존재를 느꼈습니다. 그리고 거대한 용이 그들을 향해 다가오고 있었습니다.

"우리가 찾는 것은 여기에 있어." 리나가 속삭였습니다. "이 용은 우리의 시험이 될지도 모르지만, 우리의 운명은 이곳에 있다."

에드릭은 검을 꺼내고, 키라는 그림자 속에서 단검을 갖췄습니다. 리나는 마법을 불러내 준비를 했습니다.

용과의 전투는 치열했지만, 그들은 힘을 합쳐 승리를 거머쥘 수 있었습니다. 용이 쓰러지자, 그들은 세계를 뒤흔들 만한 비밀을 발견했습니다.

세계의 변화
용을 물리치고 고대의 비밀을 푸는데 성공한 그들은
세계에 큰 변화를 일으켰습니다. 과거의 신화와 전설은
이제 현실이 되었고, 에덴시아 대륙은 새로운 시대를
맞이했습니다.

에드릭, 리나, 그리고 키라는 그들의 모험을 마친 후에
도 함께 있기로 결심했습니다. 그들은 세계를 탐험하
고, 새로운 모험을 시작할 준비를 하기로 했습니다.

스티브의 모험

새로운 대지

마인크래프트 세계의 한 구석에서 스티브는 눈을 떴다. 눈앞에 펼쳐진 것은 푸른 하늘과 넓은 바다, 눈부신 햇살 아래 무인도의 모습이었다. 이상한 섬에서 눈을 뜬 스티브는 주변을 살피며 이곳이 어디인지를 알아보려 했다.

자원의 모험

스티브는 무인도에서 자신의 삶을 유지하기 위해 여정을 시작했다. 나무를 베고, 돌을 캐며, 자원을 모았다. 그는 나무로 간단한 오두막을 짓고, 돌로는 도구를 만들었다. 그러나 이 모든 것은 그의 모험의 시작에 불과했다.

광산의 신비

마인크래프트의 신비로운 광산에서 스티브는 자원을 찾기 위해 광산을 탐험했다. 어두운 광산 속에서는 귀한 광물이 풍부했지만, 그 위험 또한 컸다. 그는 몬스터들과의 싸움을 거쳐 광산의 귀중한 자원을 확보했다.

마을의 발견

스티브는 무인도를 벗어나 인적이 드문 마을을 발견했다. 거기서는 다양한 주민들과 만나 친구가 되었고, 마을의 발전을 돕기로 결심했다. 그러나 마을은 위험에 노출되어 있었다.

몬스터의 습격

마을이 몬스터들에게 공격당하는 것을 목격한 스티브는 마을 주민들과 함께 몬스터와의 전투를 벌였다. 밤이면 몬스터들이 나타나 마을을 위협하고, 스티브는 그들을 막기 위해 마을 주민들과 함께 투쟁했다.

대륙의 탐험

스티브는 더 큰 세계를 탐험하기로 결심했다. 그는 바다를 건너 대륙을 탐험하며, 새로운 땅과 새로운 모험을 만나기 위해 떠났다. 그의 여정은 끝이 없는 모험이었다.

마법의 세계

마인크래프트 세계에는 신비한 마법의 세계가 있었다. 스티브는 그곳에서 마법의 힘을 발견하고, 마법사들과의 만남을 통해 자신의 능력을 향상시켰다. 마법은 그의 모험을 더욱 흥미롭게 만들었다.

전설 속의 생명체

전설 속의 생명체를 찾아 동료들과 함께 여행한 스티브는 그들의 신비한 힘과 지혜를 발견했다. 이들은 세계의 비밀을 품고 있었고, 그들과의 만남은 스티브의 모험에 새로운 차원을 더했다.

최후의 결투

세계를 위협하는 강력한 적과의 최후의 결투가 시작되었다. 스티브와 그의 동료들은 세계의 운명을 건 전투에서 승리하기 위해 모든 것을 걸었다. 그들은 자신의 용기와 힘으로 세계를 지키기 위해 싸웠다.

새로운 시작

그리고 결국, 모든 위험을 이겨낸 후, 스티브와 그의 동료들은 세계를 구했다. 이제 그들은 새로운 모험을 위해 떠나며, 마인크래프트 세계의 새로운 시작을 맞이한다. 함께 세계를 탐험하고, 새로운 모험을 만들어 나가며, 그들은 세계의 영웅으로 거듭날 것이다.

코드 네메시스: 지구 구원 작전

침묵의 도시

화려한... 아니, 핏빛의 불꽃이 하늘을 가로지르며 도시의 하늘을 적색으로 물들였다. 폭발음이 울려 퍼지며 건물들은 공중으로 떨어졌고, 흙과 먼지가 뒤덮었다.

레이첼은 카메라를 통해 파괴된 도시의 모습을 바라보고 있었다. 그녀의 표정은 냉정하고 결연한 것으로 보였다. "이런 것이 우리의 미래인가," 그녀가 중얼거렸다.

옆에서 조지 앤더슨 대위가 말했다. "우리는 이런 것을 멈추어야 합니다, 레이첼. 지구의 운명은 우리 손에 달렸습니다."

황준범 지음

레이첼은 고개를 끄덕인 채 대답했다. "네, 대위. 저희는 '네메시스'를 막아야 합니다. 그게 우리의 임무입니다."

그들의 특수 팀은 침략당한 도시에서 살아남은 사람들을 구하고, 로봇들의 진영으로 침투하여 정보를 수집하는 임무를 수행하고 있었다. 하지만 그들은 알고 있었다. 이것은 단순히 전투가 아니라, 인류의 최후의 저항이었다.

레이첼은 다시 눈을 카메라에 맞추었다. "우리의 적은 강력하지만, 우리는 포기하지 않을 것입니다. 지구를 구할 수 있습니다."

그리고, 레이첼과 그녀의 팀은 침략당한 도시를 떠나 다음 임무를 위해 나아갔다.

적색의 암초

레이첼과 그녀의 팀은 다음 임무를 수행하기 위해 로봇의 중심부에 접근하고 있었다. 그들은 거대한 로봇

군단과 맞서 싸워야 했지만, 그들의 목표는 명확했다. '네메시스'를 찾아내어 파괴하는 것.

그들의 비행기가 붉은 구름을 뚫고 비행하면서, 전투기와 로봇들이 점점 더 많이 몰려들었다. 레이첼은 긴장한 채 명령을 내렸다. "전력을 모두 발휘하라! 목표는 '네메시스'다!"

그들은 공중에서 치열한 전투를 벌이며 적들을 상대로 싸웠다. 레이첼은 전술적으로 팀원들을 이끌어내며 적들을 격파했다. 그녀의 지시에 따라, 팀원들은 로봇의 약점을 공략하고 전략적 위치를 차지했다.

그리고, 마침내 '네메시스'가 등장했다. 거대한 로봇은 적색 빛을 발하며 그들을 향해 접근했다. 레이첼은 결의를 가지고 말했다. "이제 우리의 최후의 전투다. '네메시스'를 물리치자!"

그리고, 치열한 전투가 시작되었다. 레이첼과 그녀의 팀은 험난한 전투 속에서 적과 맞서 싸우며, '네메시스'와의 최종 결전을 준비했다.

최후의 결전

레이첼과 그녀의 팀은 '네메시스'와의 최종 결전을 위해 준비를 마쳤다. 거대한 로봇은 적색 빛을 내며 그들을 둘러싸고 있었다. 전투는 치열하게 이어졌고, 팀원들은 힘겨운 전투 속에서 적들을 상대로 싸우고 있었다.

레이첼은 자신의 비행기에서 내려와 지상으로 내려섰다. "이제 나의 차례다," 그녀가 중얼거렸다. 그녀는 최신형 무기를 갖춘 로봇 슈트를 입고 '네메시스'에 맞서기로 결심했다.

'네메시스'와의 전투는 치열했다. 레이첼은 모든 기술과 전략을 동원하여 로봇을 공격했다. 하지만 '네메시스'는 그녀의 모든 공격을 막아내었다. 레이첼은 힘겨운 전투 속에서도 결의를 잃지 않았다. 그녀는 자신의 팀원들과 지구의 운명을 위해 싸웠다.

마침내, '네메시스'의 약점을 발견한 레이첼은 모든 힘을 다해 로봇을 공격했다. 그녀의 노력과 희생 끝에 '네메시스'는 파괴되었다. 그 순간, 적색 빛이 사라지고,

침묵이 도시에 퍼졌다.

레이첼은 숨이 차 오르는 채로 바라보았다. "우리는 이겼어," 그녀가 중얼거렸다.

그리고, 레이첼과 그녀의 팀은 지구의 구원을 위해 싸운 영웅으로 기록되었다.

희망의 빛

'네메시스'의 파괴로 인해 지구는 다시 희망의 빛을 되찾았다. 로봇의 침략은 멈추고, 인류는 다시 재건의 길을 걷기 시작했다. 파괴된 도시들은 다시 건설되었고, 인간들은 서로에게 힘이 되어주며 새로운 미래를 향해 나아갔다.

레이첼과 그녀의 팀은 영웅으로 기리워졌다. 그들은 인류의 마지막 희망이자 구원자로 남게 되었다. 하지만 레이첼은 팀의 성공을 혼자 받아들이지 않았다. 그녀는 모든 팀원들과 함께 힘을 합쳐 이룬 것이라고 믿었다.

그리고, 레이첼은 더 이상 전쟁의 필요성을 느끼지 않

앞다. 그녀는 인류와 로봇 사이에 평화를 이루기 위해 노력했다. 그녀는 기술과 인간의 손을 맞잡고, 새로운 세상을 건설하기 위해 노력했다.

시간이 흐르고, 지구는 다시 평화로운 행성이 되었다. 인류와 로봇은 서로를 이해하고 존중하는 새로운 관계를 형성했다. 레이첼은 그 시간 동안 지구의 모든 이들에게 희망과 용기를 주었다.

그리고 마침내, 지구는 새로운 시대의 문턱에 섰다. 이제 인류는 과거의 잘못된 선택을 되풀이하지 않고, 새로운 미래를 향해 함께 나아가고 있었다.

시 간 의 틈 새

시간의 틈새

고대 문명의 비밀을 풀기 위해 떠난 준호와 민지. 두 친구는 우연히 발견한 시간의 문을 통해 과거로 여행을 시작한다. 그곳에서 그들은 역사의 진실과 자신들의 우정에 대해 새로운 이해를 얻게 된다. 시간이 흐를수록, 그들은 현재로 돌아가기 위한 열쇠를 찾아야만 한다는 것을 깨닫는다. 하지만 그 길은 예상치 못한 도전과 선택의 순간들로 가득하다.

시간의 문

"민지야, 이게 뭐야?" 준호가 손전등으로 비추며 물었다.

민지는 먼지투성이의 고서를 들여다보며 대답했다. "이건... 시간을 여행할 수 있는 문에 대한 기록 같아!"

그들은 서로를 바라보며 흥분의 눈빛을 교환했다. 시간여행, 그것은 그들이 어릴 적부터 꿈꾸던 모험이었다.

고대의 비밀

준호와 민지는 자신들이 고대 이집트에 도착했다는 것을 깨달았다. 피라미드와 신전이 그들을 맞이했다. 그리고 그들은 고대의 비밀을 풀기 위한 단서를 찾기 시작했다.

"이곳에 숨겨진 지식을 찾아내면, 우리는 역사를 새로 쓸 수 있어." 민지가 말했다.

준호는 고개를 끄덕이며 동의했다. "하지만 무엇보다, 우리의 우정이 시험받을 거야."

그들의 모험은 이제 막 시작되었다.

시간의 흐름

준호와 민지는 고대 이집트에서 떠난 후, 다음으로 고대 그리스로 여행했다. 그곳에서 그들은 **시간의 흐름**을 느낄 수 있었다. 고대 그리스의 건축물과 철학자들의 토론, 그리고 그들이 만난 사람들은 그들에게 새로운 시각을 제공했다.

"민지야, 우리가 여기서 배운 것들을 현재로 가져가면 어떨까?" 준호가 말했다.

민지는 고개를 끄덕이며 말했다. "그래, 우리의 우정도 더 깊어질 거야."

그들은 고대 그리스에서의 경험을 토대로 새로운 이야기를 써나갔다.

우정의 시험

준호와 민지는 시간 여행을 통해 많은 모험을 겪었다. 하지만 그들의 우정은 더 큰 시험을 받았다. 한 때는 무조건적으로 서로를 믿었던 그들이, 시간을 넘나들며 변화하는 세계에서 서로를 지켜내기 위해 힘들게 싸우고 있었다.

"준호야, 우리는 이 모험을 함께 해야 해." 민지가 말했다.

준호는 민지를 향해 웃음을 지었다. "그래, 우리는 시간의 틈새에서 함께 떠나는 친구니까."

그들은 서로의 손을 잡고 미래로 향했다.

제5장: 미래의 그림자

준호와 민지는 번쩍이는 빛 속을 지나 미래의 도시에 도착했다. 거대한 홀로그램 광고판과 하늘을 나는 자동차들이 그들을 맞이했다. 그들은 이 모든 것이 신기하면서도 약간은 두려웠다.

"민지야, 이곳은 우리가 상상도 못 했던 세계야." 준호가 말했다.

민지는 주변을 둘러보며 대답했다. "그래, 하지만 우리는 여기서 무엇을 배울 수 있을까?"

그들은 미래의 도시를 탐험하며, 그곳에서 살아가는 사람들과 교류하기 시작했다.

시간의 교훈

준호와 민지는 미래의 도시에서 만난 한 과학자로부터 중요한 교훈을 얻었다. 과학자는 그들에게 시간의 소중함과 우리가 살아가는 순간의 가치에 대해 이야기했다.

"시간은 무한하지 않아요. 우리가 함께하는 이 순간들이 얼마나 중요한지 잊지 마세요." 과학자가 말했다.

준호와 민지는 그 말을 가슴 깊이 새겼다. 그들은 미래에서의 경험을 통해 현재의 삶을 더욱 소중히 여기기로 했다. 앞으로도 그들의 여정은 계속될 것이다...

서울의 밤, 좀비의 부활

평화로운 아침

서울의 아침은 여느 때와 다름없이 시작되었다. 이른 아침부터 거리에는 하루가 바쁘게 출근을 하는 사람들로 가득했고, 지하철도 출근길 인파가 몰려 사람들로 꽉꽉 차있었다. 청량한 봄바람이 불어오는 이 날, 모두가 일상적인 하루를 예상했다. 하지만 그것은 그날이 평범하지 않을 것이라는 예고에 불과했다.

민수는 출근을 위해 강남역에서 지하철을 타고 있었다. 매일 반복되는 출근길이었지만, 그에게는 익숙하고 편안한 일상이었다. 그는 지하철 안에서 스마트폰으로 뉴스를 보며 시간을 보냈다.

"알 수 없는 전염병, 급속히 확산 중"이라는 제목의 기사가 눈에 들어왔다. 민수는 호기심에 기사를 클릭했다.

"긴급 속보입니다! 서울 외곽의 작은 병원에서 시작된 전염병이 빠르게 확산되고 있습니다. 현재까지 확인된 사망자는 10명이며, 감염자는 50명 이상으로 추정됩니다."

민수는 기사를 읽으며 약간의 불안감을 느꼈지만, 크게 신경 쓰지 않았다. 그는 출근길 지하철에서 매일 보는 흉흉한 뉴스 중 하나일 뿐이라 생각했다. 하지만 지하철에서 내리자마자, 그는 그 불안감이 현실이 되는 것을 목격하게 되었다.

첫 번째 비명

"으아아아!"

오전 11시경, 민수가 일하고 있는 강남의 한 고층 빌딩에서 비명 소리가 들려왔다. 민수는 깜짝 놀라 창밖을 내다보았다. 거리에는 혼란스러운 모습이 보였다. 사람들이 서로 밀치고, 비명을 지르며 달아나고 있었다. 처음에는 이유를 알 수 없었지만, 곧바로 거리에서 한 남자가 피투성이가 된 채로 다른 사람을 공격하는 장면이 눈에 들어왔다.

"저게 뭐야? 왜 사람들이 저렇게 난리야?" 민수는 옆에 있던 동료 지훈에게 물었다.

"몰라, 아마 무슨 사고가 난 것 같은데... 어? 저 사람 좀 이상하지 않아?" 지훈이 손가락으로 가리킨 방향에는 피투성이가 된 남자가 있었고, 그는 끔찍한 모습으로 다른 사람들을 공격하고 있었다.

"저 사람... 좀비 같아 보여..." 민수는 소름이 돋았다. 좀비라니, 그것은 영화나 게임에서나 볼 법한 일이었다.

아포칼립스의 시작

민수는 동료들과 함께 빌딩 밖을 내다보며 상황을 파악하려 했다. 그러나 점점 더 많은 사람들이 거리에서 비명을 지르고 있었다. 이윽고 건물 관리인이 방송을 통해 전 건물에 긴급 대피 명령을 내렸다. 그러나 이미 너무 늦은 상태였다. 좀비로 변한 사람들이 건물 안으로 들이닥치기 시작했다.

"빨리, 비상구로 가자!" 민수가 외쳤다.

동료들과 함께 비상구로 향하던 중, 그들은 좀비에 물린 사람들과 마주쳤다. 한 동료가 비명을 지르며 도망치다가 좀비에게 물리고 말았다.

"안 돼! 저길 피해!" 민수는 동료들을 이끌고 다른 길로 향했다.

탈출
민수는 동료들과 함께 비상구를 통해 건물을 빠져나가기로 결심했다. 하지만 건물 곳곳에서 들려오는 비명 소리와 좀비의 모습은 그들의 공포를 극대화시켰다. 다행히 비상계단으로 가는 길은 비교적 안전했다. 민수는 동료들과 함께 최대한 조용히 움직였다.

"제발, 제발 아무 일 없기를..." 민수는 속으로 기도했다.

그들은 지하 주차장으로 내려왔다. 주차장에는 차들이

줄지어 있었고, 좀비들은 아직 이곳에 도착하지 않은 듯했다.

"저 차로 가자. 빨리!" 민수가 외쳤다.

그들은 한 차량에 올라타고, 민수가 운전석에 앉았다. 손이 떨렸지만, 그는 침착하게 차를 출발시켰다.

제5장: 피난처를 찾아서

건물을 빠져나온 민수 일행은 길거리에서 혼란스러운 상황을 목격했다. 경찰과 군인이 출동했지만, 좀비의 수는 너무 많았다. 민수는 최대한 사람들과 떨어져서 안전한 곳을 찾기로 했다. 그들은 가까운 편의점으로 들어가 문을 잠그고 숨을 골랐다.

"여기가 잠시라도 안전하길..." 민수는 숨을 고르며 중 얼거렸다.

편의점 안에는 이미 몇 명의 사람들이 피난처를 찾고 있었다. 그 중 한 명은 의사였고, 좀비 바이러스에 대해 어느 정도 알고 있는 듯했다. 그는 바이러스가 물린 상처를 통해 빠르게 전염된다고 설명하며, 최대한 물리지 않도록 조심해야 한다고 경고했다.

"저는 이 병원에서 일하던 의사입니다. 바이러스는 물린 상처를 통해 전염됩니다. 물리면 곧바로 변하게 됩니다. 모두 조심하세요." 의사가 말했다.

한밤의 습격

민수 일행은 밤을 지새며 피난처에서 버티기로 했다. 하지만 한밤중에 좀비들이 편의점 주변으로 몰려오기 시작했다. 그들은 편의점 유리를 깨고 들어오려 했고, 민수 일행은 막대한 공포에 휩싸였다.

"유리가 깨질 것 같아! 빨리 막아!" 민수가 소리쳤다.

그들은 근처에 있는 물건들을 이용해 유리를 막았다. 하지만 좀비의 수는 점점 늘어나고 있었다.

"더 이상 여기에 있을 수 없어. 나가야 해." 지훈이 말했다.

새로운 동료

민수와 동료들은 강남역 지하 쇼핑몰로 피신하기로 했

다. 그곳은 좀비들로부터 비교적 안전할 것이라고 생각했다. 지하 쇼핑몰에 도착하자마자 그들은 출입구를 막고 좀비들이 들어오지 못하게 했다. 그곳에서 다른 생존자들과 합류하며 서로 정보를 공유하고 도움을 주고받았다.

"여기서 어떻게 할 거야?" 한 생존자가 물었다.

"최대한 버티면서 구조대를 기다려야겠지. 하지만 식량과 물이 문제야." 민수가 대답했다.

시간이 지나면서 식량과 물이 점점 부족해졌다. 민수는 동료들과 함께 외부로 나가 생존을 위한 자원을 찾아야 한다는 결정을 내렸다. 이들은 마지막으로 함께 탈출을 시도하기로 결심했다.

"밖은 위험하지만, 나가야 해. 여기에만 있으면 우리 모두 굶어 죽을 거야." 민수가 말했다.

"맞아, 나가서 필요한 걸 구해오자." 지훈이 동의했다.

그들은 무기를 챙기고 밖으로 나갔다. 거리는 여전히

좀비들로 가득했지만, 민수와 동료들은 생존을 위해 필사적으로 싸웠다.

좀비 아포칼립스는 예기치 않게 찾아왔고, 민수와 그의 동료들은 그 속에서 살아남기 위해 고군분투했다. 그들의 이야기는 계속될 것이다. 비록 이들이 마주한 공포는 상상을 초월하지만, 그들은 끝까지 희망을 놓지 않았다. 앞으로 어떤 일이 펼쳐질지, 그들의 생존기를 통해 밝혀질 것이다…

마라탕후루

새로운 맛의 등장

서울의 중심지, 강남. 그곳에선 매일같이 새로운 유행과 트렌드가 생겨나고 사라진다. 오늘도 강남의 어느 한적한 골목에서는 한 중식당이 새롭게 오픈했다. 이름하여 '마라탕후루'. 마라탕의 강렬한 맛과 탕후루의 달콤함을 결합한 독특한 음식으로 입소문을 타고 있었다.

민수는 친구 지훈의 권유로 그 식당을 찾아갔다. 평소 새로운 맛에 도전하는 것을 좋아하는 민수는 지훈과 함께 식당 문을 열었다.

"여기가 그 유명한 마라탕후루 집이야?" 민수가 물었다.

"응, 여기 마라탕이랑 탕후루를 같이 파는데, 그 맛이 환상적이래." 지훈이 대답했다.

식당 안은 깔끔하고 현대적인 인테리어로 꾸며져 있었고, 각 테이블마다 손님들이 음식을 즐기고 있었다. 민수와 지훈은 자리를 잡고 메뉴를 훑어봤다.

"우선 마라탕 두 개랑 탕후루 하나 시켜볼까?" 지훈이 말했다.

"좋아, 기대되는데?" 민수가 동의했다.

비밀의 레시피

주문한 음식이 나오는 동안, 민수는 주방 쪽을 흘깃거렸다. 주방 안에는 백발이 성성한 중년 남자가 정성스럽게 음식을 준비하고 있었다. 그 남자는 이 식당의 주인이자 유일한 요리사, 주방장 왕씨였다.

왕씨는 중국에서 건너온 요리사로, 마라탕의 비법을 익힌 장본인이었다. 그는 한국에서 새로운 요리를 선보이기 위해 오랜 연구 끝에 마라탕후루를 개발했다. 마라의 매운맛과 탕후루의 단맛을 조화롭게 어우러지게 만드는 것은 결코 쉬운 일이 아니었다. 하지만 왕씨는 오랜 경험과 노하우로 그 어려운 일을 해냈다.

"이제 마지막 소스를 추가하면 완벽하겠군." 왕씨는 중얼거리며 마라탕의 마지막 조미료를 넣었다.

첫 맛의 충격

잠시 후, 민수와 지훈의 테이블에 마라탕과 탕후루가 나왔다. 김이 모락모락 나는 마라탕과 윤기가 흐르는 탕후루가 먹음직스러워 보였다.

"와, 진짜 맛있어 보인다!" 지훈이 감탄하며 말했다.

"그러게, 냄새도 좋고. 그럼 먼저 마라탕부터 먹어볼까?" 민수가 말했다.

두 사람은 젓가락을 들어 마라탕을 맛보았다. 입안 가득 퍼지는 얼얼한 매운맛과 향신료의 조화에 두 사람은 감탄했다.

"이건 정말 대단한 맛인데?" 민수가 말했다.

"응, 지금까지 먹어본 마라탕 중에 최고야!" 지훈이 동의했다.

이어 두 사람은 탕후루를 한 입씩 베어 물었다. 마라탕의 매운맛을 상쇄시키는 달콤한 탕후루의 맛이 입안 가득 퍼지며 완벽한 조화를 이루었다.

"이 조합은 정말 대단해. 어떻게 이런 생각을 했지?" 민수가 감탄했다.

"그러게, 이 집 진짜 대박 날 것 같아." 지훈이 말했다.

이상한 소문

마라탕후루의 맛에 반한 민수와 지훈은 그 이후로도 자주 그 식당을 찾았다. 그러던 어느 날, 민수는 회사 동료로부터 이상한 소문을 들었다.

"민수 씨, 혹시 마라탕후루 집 자주 가요?" 동료 혜진이 물었다.

"응, 왜? 그 집 음식 정말 맛있잖아." 민수가 대답했다.

"음... 그 집 음식이 너무 중독성 있다는 얘기를 들었어요. 한번 먹으면 자꾸 먹고 싶어진다나 뭐라나..." 혜진이 말했다.

"그냥 맛있어서 그런 거겠지. 별일 아닐 거야." 민수가 대수롭지 않게 대답했다.

그러나 민수는 점점 그 식당의 음식에 끌리게 되는 자신을 느꼈다. 마라탕후루의 맛을 잊을 수 없었고, 하루라도 먹지 않으면 허전한 기분이 들었다.

비밀의 문

어느 날 밤, 민수는 잠을 이루지 못하고 뒤척이다가 문득 마라탕후루 생각에 사로잡혔다. 그는 갑작스레 결심을 하고 식당으로 향했다. 늦은 시간이었지만, 식당 문은 여전히 열려 있었다.

"여기까지 왔는데... 뭐, 그냥 한 그릇만 더 먹고 가지 뭐." 민수는 중얼거리며 식당 안으로 들어갔다.

식당 안은 조용했다. 주방에서 불빛이 새어나오고 있었다. 민수는 조심스럽게 주방으로 다가갔다. 주방 안에는 왕씨가 무언가를 끓이고 있었다.

"누구세요?" 왕씨가 돌아보며 말했다.

"아, 저... 그저 너무 맛있어서... 어떻게 이렇게 맛있는 음식을 만들 수 있나 궁금해서요." 민수가 어색하게 웃으며 말했다.

왕씨는 잠시 민수를 바라보다가, 웃으며 말했다. "맛있다고 해주셔서 감사합니다. 비법은 비밀이지만, 특별히 오늘은 보여드릴 수 있겠군요."

민수는 왕씨를 따라 주방 깊숙이 들어갔다. 거기에는 평범한 재료들이 놓여 있었지만, 특별한 향신료들이 진열되어 있었다.

"이게 제 비법입니다. 이 향신료들로 마라탕후루를 만드는 거죠." 왕씨가 설명했다.

중독의 진실

민수는 왕씨의 설명을 듣고 고개를 끄덕였다. 그러나 뭔가 이상한 기운을 느꼈다. 그는 향신료들 중 하나를

집어들고 냄새를 맡았다. 그 순간, 그의 머릿속이 어지러워지며 환각이 일어났다.

"이게 뭐죠? 이 향신료는...?" 민수가 휘청거리며 물었다.

왕씨는 미소를 지으며 말했다. "그건 이곳에서만 구할 수 있는 특별한 향신료입니다. 중독성이 강하죠. 그래서 사람들이 자꾸 이곳에 오게 되는 겁니다."

민수는 충격에 빠졌다. "그럼, 사람들이 중독되는 이유가 이 향신료 때문인가요?"

왕씨는 고개를 끄덕였다. "맞습니다. 하지만 걱정 마세요. 이 중독성은 해롭지 않습니다. 다만, 이곳의 음식을 더 맛있게 느끼게 해 줄 뿐이죠."

결단

민수는 혼란스러웠다. 왕씨의 말대로 중독성이 해롭지 않다고는 하지만, 이런 식으로 사람들을 끌어들이는 것이 옳은 일일까?

그는 며칠 동안 고민했다. 그리고 마침내 결단을 내렸다. 민수는 식당을 찾았다.

"왕씨, 이야기할 것이 있습니다." 민수가 단호한 표정으로 말했다.

"무슨 일인가요?" 왕씨가 물었다.

"이 향신료를 사용하는 것은 잘못된 일입니다. 사람들을 이렇게 중독시키는 것은 옳지 않아요." 민수가 말했다.

왕씨는 잠시 침묵했다. 그리고 한숨을 쉬며 말했다. "당신 말이 맞습니다. 하지만 이 식당을 운영하기 위해 어쩔 수 없었습니다. 사람들이 다시 찾아오지 않으면 곧 문을 닫아야 했거든요."

민수는 왕씨의 말을 듣고 복잡한 심정이 되었다. 그는 왕씨를 이해하면서도, 이 문제를 해결해야 한다고 생각했다.

변화의 시작

민수는 왕씨와 함께 향신료를 다른 방식으로 사용할 방법을 찾기로 했다. 중독성을 제거하고, 마라탕후루의 맛을 유지할 수 있는 새로운 조합을 연구했다.

몇 주가 지난 후, 그들은 드디어 새로운 레시피를 완성했다. 중독성 없이도 맛있고 독특한 마라탕후루였다. 민수와 왕씨는 새로운 레시피로 다시 식당을 오픈했다.

"이제 이 음식이 더 많은 사람들에게 사랑받기를 바랍니다." 왕씨가 말했다.

민수는 웃으며 대답했다. "네, 이제 진정한 맛으로 승부를 봐야죠."

제9장: 새로운 도전
마라탕후루의 새로운 맛은 사람들에게 큰 인기를 끌었다. 중독성 없이도 맛있다는 입소문이 퍼지며, 식당은 더 많은 손님들로 붐비기 시작했다. 민수와 왕씨는 새로운 도전을 시작했다.

"이제 더 많은 사람들에게 이 맛을 알리고 싶어요." 민수가 말했다.

"맞아요, 이 맛을 전 세계에 알리죠." 왕씨가 웃으며 대답했다.

그들은 마라탕후루를 세계적인 브랜드로 성장시키기 위해 계획을 세웠다. 새로운 맛을 통해, 사람들은 진정한 요리의 즐거움을 느낄 수 있었다.

마라탕후루의 미래

마라탕후루는 이제 단순한 음식이 아니라, 하나의 문화가 되었다. 민수와 왕씨는 세계 각국을 돌아다니며 새로운 맛을 연구하고, 사람들에게 요리의 즐거움을 전파했다.

그들의 도전은 끝이 없었다. 마라탕후루는 점점 더 많은 사람들에게 사랑받았고, 그들은 요리의 세계에서 새로운 역사를 써 내려갔다.

"마라탕후루"는 민수와 왕씨의 노력과 열정, 그리고 진정한 맛을 찾기 위한 여정을 담은 이야기다. 그들의 이야기는 이제 막 시작되었으며, 앞으로도 많은 사람들에게 영감을 줄 것이다.

시간의 주인

시계탑의 비밀

서울의 한복판, 고층 건물들이 빽빽이 들어선 도심 속에서 잊힌 시계탑이 있다. 100년 넘게 서 있는 이 시계탑은 이제 거의 누구의 관심도 끌지 못한다. 사람들은 그저 오래된 건축물이라 생각할 뿐, 그 속에 숨겨진 비밀을 아는 이는 거의 없다.

하지만 시계탑의 주인, 박수진은 그 비밀을 알고 있었다. 그녀는 시계탑의 관리인으로, 할아버지에게서 물려받은 이 일을 평생 직업으로 삼아왔다. 그녀의 할아버지는 이 시계탑이 단순한 건축물이 아니라고 말하곤 했다.

"수진아, 이 시계탑은 시간을 관리하는 역할을 하고 있단다. 사람들에게는 그저 오래된 시계로 보이겠지만, 이 안에는 시간의 흐름을 조절하는 비밀이 숨겨져 있지."

수진은 할아버지의 말을 어릴 적부터 들으며 자랐지만, 그것이 무슨 뜻인지 정확히 이해하지 못했다. 그러나 할아버지가 돌아가신 후, 시계탑을 돌보며 이상한 일들이 벌어지기 시작했다.

멈춘 시간

어느 날, 수진은 시계탑의 시계가 멈춘 것을 발견했다. 시계탑은 항상 정확한 시간을 가리키고 있었기에, 이 일은 매우 이상한 일이었다. 수진은 시계탑을 수리하기 위해 올라갔다. 그런데 시계의 중심부에서 이상한 기운을 느꼈다.

"이건 뭐지?" 수진은 손을 뻗어 시계의 중심부를 만졌다. 그 순간, 그녀의 주위가 희미해지며 이상한 빛이 그녀를 감쌌다. 눈을 떠보니, 그녀는 1920년대 서울의 모습 속에 있었다.

"여기가 어디지? 꿈인가?" 수진은 혼란스러웠다. 그녀는 시계탑을 다시 보았고, 그 시계가 멈추지 않고 정상적으로 돌아가는 것을 확인했다.

시간 여행자

수진은 시계탑이 단순한 건축물이 아니라, 시간 여행의 통로라는 것을 깨달았다. 그녀는 시계를 통해 다른 시간대로 이동할 수 있었다. 그러나 이 능력은 단순한 호기심으로만 사용할 수 있는 것이 아니었다.

"시간을 조작하는 것은 위험해. 작은 변화가 큰 파장을 일으킬 수 있지." 할아버지의 말이 떠올랐다.

수진은 여러 번의 시간 여행을 통해 다양한 시대를 경험했다. 1950년대 한국전쟁 시기, 1980년대의 격동의 시기 등, 그녀는 그 시대를 살아가는 사람들의 삶을 보며 많은 것을 배웠다. 하지만 그녀는 단순한 구경꾼이 아니었다. 때때로 그녀의 행동이 역사를 바꿀 수도 있었다.

변화의 시작

어느 날, 수진은 1970년대로 돌아가게 되었다. 그곳에서 그녀는 젊은 시절의 할아버지를 만났다. 할아버지는 그녀에게 시간의 중요성에 대해 더 많은 것을 가르쳐 주었다.

"수진아, 시간은 소중한 자원이야. 우리가 어떤 결정을 내리느냐에 따라 미래는 달라질 수 있지. 그러나 그 변화가 항상 좋은 결과를 가져오지는 않아."

수진은 할아버지의 말을 가슴에 새기며, 시간을 신중하게 다루기로 결심했다. 그러나 그녀는 또한 과거의 실수를 바로잡고 싶은 욕구도 강하게 느꼈다.

중요한 선택

수진은 1990년대로 다시 돌아왔다. 그녀는 그곳에서 자신이 사랑했던 사람, 이제는 잃어버린 연인 정민을 만났다. 그들은 행복한 시간을 보냈지만, 수진은 정민을 구하기 위해선 그와의 만남을 포기해야 한다는 것을 깨달았다.

"정민아, 난 널 너무 사랑하지만, 우리가 계속 함께 있다면 네 인생이 위험해질 거야." 수진은 눈물을 흘리며 말했다.

"무슨 소리야? 난 널 떠날 수 없어." 정민이 말했다.

"미안해, 정민아. 하지만 네가 안전하기 위해선 내가 떠나야 해." 수진은 정민에게 작별을 고하고, 다시 현재로 돌아왔다.

미래를 향하여

수진은 현재로 돌아와서, 시계탑의 비밀을 지키며 살아가기로 결심했다. 그녀는 시간을 조작하는 위험성을 깨닫고, 그 힘을 올바르게 사용해야 한다는 책임감을 느꼈다.

"시간은 우리에게 주어진 선물이다. 그 선물을 남용하지 않고, 소중히 여겨야 해." 수진은 자신에게 다짐했다.

그녀는 시계탑을 통해 배운 것들을 바탕으로, 사람들에게 시간을 소중히 여기는 법을 가르치기 시작했다. 그녀의 이야기는 많은 사람들에게 영감을 주었고, 시계탑은 다시 사람들의 관심을 받기 시작했다.

새로운 시작

시간의 주인으로서의 삶은 수진에게 많은 책임감을 주었지만, 그녀는 그 역할을 기꺼이 받아들였다. 시계탑은 이제 단순한 건축물이 아니라, 시간을 소중히 여기는 사람들의 성지가 되었다.

수진은 매일 시계탑을 돌보며, 시간을 여행하는 모험을 이어갔다. 그녀는 과거의 실수를 바로잡고, 미래를 향한 새로운 길을 개척하며 살아갔다.

"시간은 우리의 친구이자 스승이다. 그것을 소중히 여기고, 올바르게 사용해야 한다." 수진은 시계탑을 바라보며 중얼거렸다.

그녀의 이야기는 끝나지 않았다. 시간의 주인으로서의 그녀의 모험은 계속될 것이다.

"시간의 주인"은 박수진의 시간 여행과 그로 인한 성장, 그리고 책임감을 담은 이야기입니다. 시간이 주는 교훈과 그것을 올바르게 사용하는 방법을 통해, 우리는 우리의 삶을 더 풍요롭게 만들 수 있습니다.

"시간의 주인"은 박수진의 시간 여행과 그로 인한 성

장, 그리고 책임감을 담은 이야기입니다. 시간이 주는 교훈과 그것을 올바르게 사용하는 방법을 통해, 우리는 우리의 삶을 더 풍요롭게 만들 수 있습니다.

(작가의 말)

허헝~!

크,크흠..

엄..

엄.   준삭

..지금까지, 이 책을 읽어주셔서 감따해여♡

감사합니다! 앞으로도 더 AI를 부려먹으며 아이디어를 생각하는 작가가 되도록 노력하겠습니다!